Ma maison hantée

Kéthévane Davrichewy

Ma maison hantée

Illustrations de Nadja

Mouche
l'école des loisirs
11, rue de Sèvres, Paris 6[e]

Du même auteur à *l'école des loisirs*

Dans la collection MOUCHE

Le chapeau qui dansait
J'ai peur du docteur
Je suis fâché
Je veux des cadeaux
Un papa en exil
Le Père Noël est un voleur

© 2001, l'école des loisirs, Paris
Loi n° 49.956 du 16 juillet 1949 sur les publications
destinées à la jeunesse : mars 2001
Dépôt légal : mars 2001
Imprimé en France par IFC à Saint Germain du Puy

Pour mon Louka,
pour mon Thémo.

1

— Lou, a dit Maman, demain sera un grand jour, on t'emmène voir notre maison de campagne.

Je crois que sa voix a tremblé parce qu'elle était contente. Je n'ai rien dit, je ne veux pas voir la maison.

L'ombre de la nuit se penche, elle s'étire sur mes pieds, elle remonte jusqu'à ma gorge, elle emprisonne ma respiration. Je sens la crise venir, je me redresse sur l'oreiller, mes doigts s'accrochent aux draps. Je ne dois plus penser, juste garder les yeux ou-

verts, je fixe le halo de lumière sous la porte de ma chambre, il grandit, le son rauque et monstrueux s'échappe de ma bouche, je ne peux pas le retenir, je n'ai plus de repères, la lumière est partout, je lâche l'oreiller. Papa et Maman sont là, je retrouve mon souffle lentement avec le médicament. La crise est passée.

Je suis malade, asthmatique, dit le docteur. Allergique aussi, à la poussière, aux plumes, aux animaux. Et puis phobique, c'est-à-dire que j'ai peur. Peur du noir, du bruit, de la pollution, de l'ascenseur, peur des tempêtes, des araignées, des voitures, des forêts profondes.

Je ne veux pas de maison de campagne.

— Comment tu peux dire ça, dit Sarah à la sortie de l'école.

Maman annonce à tout le monde qu'on a acheté une maison, elle ajoute en riant : « Lou est contre mais elle changera d'avis en la voyant. » Elle parle, fait de grands gestes. À chacun de ses mouvements, je me recroqueville un peu plus.

— Qu'est-ce que tu as, mon ange ? me demande-t-elle sur le chemin du retour.

On marche tous les jours sur le même trottoir, je tiens sa main. Elle a promis de ne jamais me changer d'école, de ne pas déménager et de ne pas avoir d'autre enfant que moi. Je sais par cœur les rues à traverser, les

feux et les panneaux, les vitrines devant lesquelles il faut passer. On s'arrête devant celle de l'horloger, on observe les dizaines de cadrans qui indiquent la même heure mais qui sont tous différents.

— Alors qu'est-ce que tu as? répète-t-elle.

Je n'ai toujours pas dit un mot et j'ai lâché sa main.

Je crie:

— Comment tu peux te vanter comme ça et dire que je ne veux pas de maison? Est-ce que tu te rends compte qu'il y a plein de parents qui ne peuvent pas acheter de maison et plein d'enfants qui en rêvent. Qu'est-ce qu'ils vont penser ?

Elle sourit :

— Écoute, ma Lou, je sais que tu as peur, mais tu vas voir…

— Je n'ai pas peur, je déteste les maisons, c'est tout, surtout les vieilles, ça pue l'humidité, ça me dégoûte, c'est mauvais pour moi et puis je déteste la campagne, je déteste les jardins, et même les fleurs, ça m'empêche de respirer.

— Qu'est-ce que tu racontes ?

Elle soupire sans rien ajouter et reprend ma main, je la lui retire de nouveau.

2

L'autoroute est une ligne droite, elle nous éloigne, Maman a mis une cassette : *Est-ce la main de Dieu, ou celle du Malin qui a tissé le ciel de ce beau matin-là...*, chante Barbara.

Les rayons du soleil cognent contre les vitres, mes yeux brû-lent.

Est-ce Dieu, est-ce Diable ou les deux à la fois... mais pour tant de beauté, merci et chapeau bas.

— Dans une seconde, on sort de l'autoroute, annonce Papa.

— Et là c'est comme un miracle, dit Maman, on va apercevoir son toit comme le clocher d'une église. Si longtemps avant de la voir en entier, c'est merveilleux.

Je hausse les épaules pour protester contre tous ces superlatifs mais elle ne le voit pas.

La route se met à tourner, je presse mes mains contre mon ventre. Je ne vais pas vomir. Sans

le vouloir, mon regard accroche
un toit long et pointu qui dé-
chire la cime des arbres. Je dé-
tourne la tête et fixe un point sur

le siège avant. Je n'entends plus
rien.

Ils sont sortis de la voiture, ils discutent avec les ouvriers au milieu d'un amas de gravats, de ferraille et de planches.

La maison est petite et rabougrie, écrasée par le lierre et les arbres touffus. Papa me prend dans ses bras pour que je ne marche pas dans les flaques de boue, il me dépose devant la porte d'entrée. Je n'ose pas refuser de le suivre.

— Allons d'abord visiter l'intérieur, dit-il, les travaux sont finis.

On dirait qu'ils n'ont pas commencé. Tout est vieux. Je frissonne.

— Couvre-toi, dit Maman en enroulant son châle autour de moi, on n'a pas encore mis le chauffage.

— J'en veux pas.

Je déroule le châle et le lui rends. J'ai froid. Nos voix résonnent et la maison semble immense. Papa et Maman déambulent à travers les pièces et font des commentaires comme s'ils étaient responsables de chaque grain de poussière. Je ne regarde pas. Ils ne le remarquent pas. Je me mets à tousser, je ne peux pas retenir les quintes de plus en plus fortes.

— Tu as bien pris ton médicament? demande Maman.

Je hoche la tête.

Ma respiration se bloque. J'ouvre la bouche et je souffle doucement comme on me l'a appris, ma poitrine se soulève très vite puis plus lentement. Ils attendent patiemment, ils sont sûrs que ça va passer.

Je voudrais tomber raide asphyxiée sur le parquet, ils se mettraient à hurler, ils haïraient leur idée de campagne, ils se débarrasseraient de cette maison qui sent la mort.

L'escalier craque sous nos pas.

À l'étage, il y a les chambres, et la salle de bains au fond d'un couloir.

— Regarde, ma princesse, le lit dont tu rêvais, c'est l'avantage des maisons de campagne, on a de la place.

Je reste immobile devant le lit à baldaquin tout droit sorti d'un conte de fées.

— Je l'ai trouvé dans une brocante. Qu'est-ce que tu en dis ?

Plus Maman est excitée, plus elle parle aigu. Je cherche une réponse, je ne peux pas lui dire que ce lit j'en rêvais quand j'avais quatre ans mais qu'à sept ans, c'est comme de sortir dans la rue en couche-culotte.

Je parviens à articuler :

— Top. Et où va dormir Arthur ?

Arthur c'est mon cousin et mon meilleur ami.

— C'est prévu, ma poupée, on va mettre un autre lit. Et puis plus tard, on pourra aménager le grenier pour toi et tes amis, il est immense.

— Quel grenier ?

— Juste au-dessus, il y a un gigantesque espace, pour l'instant inaccessible.

J'imagine immédiatement des rats, des chauves-souris et des vampires se bousculant au-dessus de nos têtes.

Papa et Maman se dirigent vers leur chambre, je cherche à les retenir :

— Comment ça, inaccessible ?

Mais est-ce qu'au moins, vous savez ce qu'il y a là-haut?

— Une maison doit savoir garder des secrets, dit Papa. Tu vois, tu commences à être sous le charme.

Ils ont décidé d'être heureux quoi qu'il arrive. Je choisis le silence. Je me tiens en équilibre au bord du lit de la Belle au bois dormant, je frôle les tissus soyeux que Maman a suspendus, un peuplier se balance juste devant ma fenêtre et projette des formes sur les murs, je me sens étrangère. Je voudrais sortir mais dehors me semble encore plus menaçant. Je ne bouge pas, je perçois la présence de mes pa-

rents dans le lointain. Plus près, j'entends une sorte de raclement de gorge qui n'appartient ni à Papa ni à Maman. J'écoute, je l'entends encore. Je pense au grenier juste au-dessus.

J'appelle :

— Maman ?

— Oui, on arrive.

Je me lève brutalement, j'ai des fourmis dans les jambes. Je dois m'appuyer contre le mur avant de faire quelques pas. Maman réapparaît.

— Tu viens, on va voir le jardin.

— Tu as entendu ce bruit ?

— Quel bruit ? Tu sais, si tu fais attention aux bruits, tu n'as pas fini, il y a toutes sortes de bruits à la campagne, on va apprendre à les reconnaître un par un…

— Mais non, ce bruit-là,

écoute… comme s'il y avait quelqu'un là-haut.

Elle descend l'escalier sans
répondre. Je sors de la pièce en
courant, je préfère rester près
d'elle jusqu'à notre retour chez
nous.

3

Je dois en parler à quelqu'un.

Je mets quelques jours avant d'appeler Arthur et je dis tout de suite :

— C'est une maison hantée.

— Fabuleux, répond Arthur à l'autre bout du téléphone, comme ça, on va pas s'ennuyer.

— Arrête, je ne plaisante pas,

j'ai entendu quelqu'un, j'en suis
sûre.

Il ne me croit pas.

— Et le jardin, il est comment?

Je n'en ai aucune idée, je l'ai
à peine entrevu.

— Je crois qu'il est en pente
et il y a des roses.

Arthur s'emballe. Je regrette

immédiatement d'avoir réclamé sa présence pour ma première nuit là-bas.

Nous y retournons bientôt pour les vacances de printemps.

La pelouse est bien en pente et les rosiers sont déjà fleuris, au bout du jardin, il y a un grand champ avec quelques moutons et deux chevaux.

— Est-ce que vous allez faire un potager ? demande Arthur.

— Bien sûr, dit Maman, pour pouvoir manger les légumes du jardin. Tu nous aideras ?

Comme moi, Arthur n'aime

pas les légumes, alors en quoi ça nous concerne?

Je regarde les petites fenêtres aux volets fermés, tout en haut de la maison. Ce sont celles du grenier.

— Est-ce qu'on peut aller voir dans le grenier?

Maman prétexte que ce n'est pas le moment, il faudrait trouver des torches, une échelle et on va se salir. Mais Papa accepte l'exploration.

Il n'y a rien dans ce grenier, une grande tôle ondulée, quelques objets usés et des toiles d'araignée qui me font fuir.

— Tu es rassurée ? me dit Papa, on va en faire une salle de jeux, ce sera votre territoire.

D'où venait le raclement de gorge que j'ai entendu ? Est-ce qu'une araignée en excursion

peut faire ce bruit? Je ne peux pas vivre sous un repaire d'insectes velus. Je ne pense qu'à ça toute la journée.

Arthur ne me parle plus, il me jette des regards furtifs.

— T'es pas bien ici? me demande-t-il.

On est tous les deux dans la grande baignoire en fonte de la salle de bains au fond du couloir. Je ne réponds pas, je m'enfonce dans la mousse. La pénombre

s'insinue autour de nous malgré
l'ampoule trop blanche au-dessus
du lavabo, je regarde dans le

miroir, je vois une silhouette toute maigre avec de longs cheveux et une barbe, elle se faufile sous le rideau devant la lucarne. Je porte la main à ma gorge. Aucun souffle n'en sort.

— Lou, t'es pas drôle, j'aime pas quand t'es comme ça, continue Arthur.

Le son rauque s'échappe de mes lèvres.

Maman accourt, elle me sort du bain, me frictionne.

Plus tard, je suis installée dans le grand lit à baldaquin, Arthur est à côté de moi.

Je lui dis :

— Je veux rentrer à Paris.

Il répond :

— Aucune chance, ils ne voudront pas.

Il est le seul à connaître mes secrets mais pour la première fois, je lui cache quelque chose. Je ne veux pas lui faire peur en lui parlant de la bête de la salle de bains.

Il sort le grand livre des créatures qu'il emporte partout avec lui.

— Tu sais, une maison est toujours hantée par toutes sortes d'esprits, on n'a qu'à choisir ceux qui nous plaisent.

Arthur aime les mythes et les légendes, d'habitude j'aime ces histoires. Il tourne les pages, je ne sais pas comment l'arrêter, il prononce des noms inconnus *Akalakui, Animalito, Baba Yaga,*

Bannik... Il me montre les dessins de Nadja. Je pousse un cri. L'illustration représente le petit monstre que j'ai entrevu dans la salle de bains, perché sur une baignoire.

— Les enfants, tout va bien? hurle Maman en bas de l'escalier.

— Oui, oui, répond Arthur. T'es folle, ajoute-t-il.

Je parviens à articuler:

— C'est quoi ça? en désignant l'étrange personnage sur le dessin.

— Un bannik, répond Arthur, écoute:

Bannik : *petit génie des bains de vapeur. Il prend son bain quand tout le monde est parti, il invite les diables et les esprits de la forêt à se baigner avec lui. Si vous le surprenez, il sera très en colère et vous jettera de l'eau bouillante ou même vous étranglera car il est très fort. Il prédit l'avenir. Si vous voulez le questionner, présentez votre dos par la porte de la salle de bains entrouverte. Si le bannik vous griffe, c'est que vous allez avoir des ennuis. S'il vous caresse gentiment de la paume de sa main, attendez-vous à des jours heureux. Il faut toujours laisser un peu d'eau dans son bain pour le bannik.*

J'ai envie de rire. Je me blot-
tis sous les couvertures. Je dois
faire un cauchemar. Je m'entends
proposer :

— Et si on laissait de l'eau
dans la baignoire ?

Arthur pense que je suis enfin prête à jouer, il saute du lit :

— J'y vais et je préviens tes parents de ne pas y toucher.

Il tarde à revenir. Le livre est resté ouvert à la page du bannik, j'évite de le regarder.

Arthur revient enfin.

On demande à Maman de rester avec nous le temps qu'on s'endorme.

— N'oublie pas d'interroger le bannik sur ton avenir, murmure Arthur en s'endormant.

Si tout ça était vrai, je demanderais de ne plus avoir peur.

Je reste immobile, les yeux

fixés sur les ombres inconnues de la chambre, j'entends la respiration régulière d'Arthur, Maman ne bouge pas, elle patiente. Je ne pourrais plus jamais dormir. Insomniaque, je crois que c'est le mot. En plus de tout le reste.

5

Je me réveille en sursaut, la nuit est profonde, un filet de lumière se faufile sous la porte. Un bruit d'eau me parvient du bout du couloir. Je repousse Arthur qui a roulé sur mon oreiller. Je me lève. La lumière vient aussi de la salle de bains. J'avance dans le couloir, je suis devant la porte.

De la vapeur s'échappe de la pièce. Le bruit de l'eau est maintenant tout près, le bannik prend son bain d'eau bouillante. Je me penche jusqu'au trou de la serrure, je ferme un œil, je maintiens l'autre grand ouvert, d'abord il n'y a que la vapeur puis je distingue le bannik au milieu de la fumée, il est très maigre et très pâle, ses cheveux et sa barbe sont noirs, ses yeux sont comme deux billes, il tourne la tête, je me relève pré-cipitamment. Je m'appuie contre la porte, mon corps entier semble paralysé.

— Ma Lou qu'est-ce que tu fais là ? chuchote Papa. Viens te recoucher.

Il me soulève, je tente un mouvement vers la salle de bains, Papa ouvre la porte et éteint la lumière, la pièce semble vide. Il ne reste que la veilleuse du couloir.

Je replonge sous mes couvertures, je m'agrippe à Papa pour qu'il ne s'éloigne pas.

— Alors, quel avenir t'a prédit le bannik ? demande Arthur au petit déjeuner. Un avenir radieux ou des catastrophes ?

Je lui fais signe de se taire mais trop tard, Maman intervient.

— Il y a un juste milieu entre radieux et catastrophique. C'est la vie le plus souvent, dit-elle.

Je me concentre sur mon chocolat. Je suis lâche. Je dois y arriver. Ce soir, j'entrouvrirai la porte, je présenterai mon dos au bannik. Je ne veux plus vivre comme ça.

— Qu'est-ce que tu marmonnes? demande Papa.

Je prononce fort:

— Moi je veux un avenir radieux.

— Ah.

Ils me regardent tous les trois. Je sais ce qu'ils pensent.

Je répète:

— Moi plus tard, j'aurais des jours heureux.

— J'espère que tu as déjà des jours heureux, ma princesse, dit Maman.

— Arrête de m'appeler comme ça.

Je sors de table précipitamment en entraînant Arthur. Il faut que la journée passe vite.

La nuit revient enfin, j'épie le sommeil de la maison. Dans le silence, le bruit d'eau semble violent. Je me dirige vers le couloir.

Ma poitrine se soulève, l'air me manque. Je n'y arriverai pas. La porte est entrouverte.

J'avance quand même. La vapeur est partout autour, elle descend dans mes poumons, elle me fait du bien, je respire.

Je me rapproche, je me tourne lentement et je présente

mon dos à l'embrasure de la porte. Je cache ma tête dans mes mains, je retiens ma respiration, je vais mourir.

Ça dure longtemps avant que je ne sente une main caresser mon épaule, je relève la tête, je laisse retomber mes bras sur ma chemise de nuit, le bruit d'eau a cessé. Je regagne lentement ma chambre.

Une minuscule araignée passe devant moi, je l'ignore.

Avant de me recoucher, je jette un coup d'œil vers la salle de bains, elle est grande ouverte, le bannik est parti.

Je me glisse à côté d'Arthur. J'allume la lampe de chevet, je prends le miroir de poche dans le tiroir, j'observe mon visage, je guette un signe, un bouleversement. Je sens encore sa main sur mon épaule. Est-ce que je suis une autre? Est-ce que j'ai réussi à changer mon destin? Je suis petite pourtant.

Mes paupières sont lourdes à force de lutter contre le sommeil, je les vois se fermer sur mon reflet dans la glace. Je m'endors.

Je cours, je cours à perdre haleine, je dévale le jardin en pente, je me laisse tomber dans l'herbe les bras en croix, j'inspire fort le parfum des fleurs. Exprès. Le vent souffle dans les feuilles, je fixe le toit à travers les branches. Le toit de ma maison. Le vent souffle plus fort, me soulève, je deviens légère.

*
* *

Je m'éveille, Arthur me chatouille avec une plume.

Je lui dis :

— J'ai un projet, je viendrai ici très souvent, je vais apprivoiser le bannik.